D'Alex à Zoé

Catalogage avant publication de Bibliothèque et Archives Canada

Gauthier, Bertrand
D'Alex à Zoé
Pour enfants.
ISBN 2-7644-0478-6
I. Béha, Philippe. II. Titre.
PS8563.A847D34 2006   jC843'.54   C2006-940316-3
PS9563.A847D34 2006

Nous reconnaissons l'aide financière du gouvernement du Canada par
l'entremise du Programme d'aide au développement de l'industrie de
l'édition (PADIÉ) pour nos activités d'édition.

Gouvernement du Québec – Programme de crédit d'impôt pour
l'édition de livres – Gestion SODEC.

Les Éditions Québec Amérique bénéficient du programme de subvention
globale du Conseil des Arts du Canada. Elles tiennent également à
remercier la SODEC pour son appui financier.

ISBN 10 : 2-7644-0478-6
ISBN 13 : 978-2-7644-0478-2

Québec Amérique
329, rue de la Commune Ouest, 3ᵉ étage
Montréal (Québec) H2Y 2E1
Téléphone : (514) 499-3000, télécopieur : (514) 499-3010

Dépôt légal : 3ᵉ trimestre 2006
Bibliothèque nationale du Québec
Bibliothèque nationale du Canada

Révision linguistique : Diane Martin
Conception graphique : Karine Raymond

Imprimé à Singapour
10 9 8 7 6 5 4 3 2 1   10 09 08 07 06

D'Alex à Zoé

Un abécédaire de Bertrand Gauthier
illustré par Philippe Béha

QUÉBEC AMÉRIQUE Jeunesse

A a

Alex à l'aéroport

Alex s'amuse à l'aéroport en attendant
l'arrivée de son amie Amanda.

B b

Béatrice sous une branche

Béatrice se balance sous une branche
devant une bande de beaux babouins.

Charles et les cinq clowns

Charles court après son chat
avec les cinq clowns du cirque Céleste.

Dalia douche son dalmatien Doudou
tous les deux dimanches.

E e

Étienne à l'épicerie

Étienne émerveille son grand-père Ernest
en entrant à l'épicerie sur des échasses.

Florence chez les fées

Florence fabrique un foulard fleuri
pour sa fée Fleurette.

Grégory dans un groupe

Grégory gratte la guitare
dans le groupe des géants Grognon.

Hannah en hibou

Hannah s'habille en hibou
dès huit heures à l'Halloween.

Isaac l'invincible

Isaac s'imagine invincible
comme l'imbattable Homme invisible.

J j

Juliette au jardin

Juliette jongle avec des jujubes
dans un joli jardin japonais.

Karl à la kermesse

Karl gagne un koala en kimono
à la kermesse de l'école Karatéka.

Lilimaude vers la lune

Lilimaude voit de loin les lutins
cueillir du lilas sur la lune.

Mattéo à midi

Mattéo monte à midi dans une
montgolfière en forme de mammouth.

N Nina sous les nuages n

Nina navigue vers le nord
sous des nuées de nuages noirs.

Oscar chez les ouaouarons

Oscar ordonne à un ouaouaron
de bondir sur son gros orteil.

Pénélope et son perroquet

Pénélope partage une pomme
avec son perroquet Papaya.

Q q

Quentin le quilleur

Quentin est l'un des quatre quilleurs
de l'équipe des quadruplés Quintal.

Rosa-Rose dans son royaume

Rosa-Rose règne en reine
au royaume des rennes.

 # Samir et les sept souriceaux

Samir sursaute en voyant surgir
une souris suivie de ses sept souriceaux.

Tatiana teste un tam-tam
en le tapant trente-trois fois.

Ulric est unique

Ulric est un enfant unique
qui chante à l'unisson avec la famille Urbain.

Voula visite une vallée
où les villageois valsent dans le vent.

William et le wapiti

William pose avec un wapiti
devant un wagon plein de cow-boys.

Xiao et son xylophone

Xiao s'exerce au xylophone
avec Xavier le saxophoniste.

Y y

Youri chez les yétis

YOUPI !

Youri crie youpi
à un yéti qui joue au yo-yo.

Zoé au zoo

Zoé zigzague entre les zèbres
au zoo Zinzon.